Walt Disney

La Belle au Bois dormant

Phidal

Il était une fois, dans un pays lointain, un roi nommé Étienne et sa jolie reine. C'étaient des souverains bons et généreux, très aimés de leurs sujets.

Dans un royaume voisin vivait leur ami, le Roi Hubert, et son fils, le Prince Philippe. Les deux rois espéraient qu'un jour leurs royaumes seraient réunis en un seul par le mariage de leurs enfants.

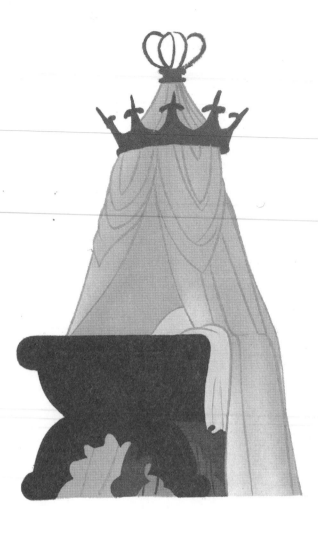

Pendant de longues années, le roi Étienne et sa reine n'eurent pas
d'enfant. Enfin, leur souhait fut exaucé, et une fille leur naquit.
Ils l'appelèrent Aurore, car elle fut dans leur vie comme un rayon
de soleil.

Une grande fête fut proclamée dans tout le royaume à l'occasion
de la naissance de la princesse héritière.

6

On vint de tous les coins du
royaume pour apporter des cadeaux
et pour présenter des bons voeux à
la princesse Aurore. Des dames en
robe de soie, des seigneurs vêtus
de fourrures et de velours et des
chevaliers revêtus de leur armure
franchirent les portes du palais.
Tout le monde voulait voir la
princesse.

Le roi Hubert et son fils, le Prince Philippe, furent les premiers à arriver. Le roi Étienne accueillit son ami en l'embrassant. Tous deux avaient longtemps attendu ce jour. Maintenant, ils pouvaient fiancer leurs enfants et, quand ceux-ci seraient en âge de se marier, les deux royaumes seraient enfin réunis en un seul.

Le jeune Prince Philippe regarda le bébé endormi. Il avait du mal à croire qu'un jour ce serait son épouse.

Puis, les trompettes sonnèrent
et trois boules de lumière
étincelante entrèrent en volant
dans la pièce. Dans la lumière
apparurent trois fées, leur baguette
magique à la main. C'étaient les
trois bonnes fées — Bénévole,
Jouvence et Sapience. Elles étaient
venues présenter leurs dons à la
princesse héritière.

Bénévole fut la première à s'approcher du berceau. «Petite princesse, je te confère le don de la beauté : des cheveux dorés comme le soleil et des lèvres aussi rouges qu'une rose. Partout où tu iras, ce sera toujours le printemps.»

Puis, Bénévole frappa un coup de sa baguette magique. Des fleurs de toutes les couleurs apparurent et tombèrent délicatement en pluie sur le bébé endormi.

Ensuite, ce fut le tour de
Jouvence. «Petite princesse,
je te confère le don de la chanson.»
Elle balança sa baguette magique
et un choeur d'oiseaux survolèrent
le berceau.

Enfin, ce fut le tour de Sapience
d'offrir un don à l'enfant. C'était la
plus petite des fées. Elle s'avança
vers le berceau, sa baguette
magique à la main : «Douce
princesse, je te confère le don...»

Mais avant que Sapience ait pu
finir sa phrase, les portes
s'ouvrirent sous l'effet d'un
violent coup de vent qui pénétra
dans la pièce. On vit des éclairs,
on entendit le tonnerre et la pièce
fut plongée dans l'obscurité.
Soudain, une flamme brillante
apparut au milieu de la grande salle.
On entendit des cris de terreur.

La flamme prit la forme d'une femme d'allure méchante vêtue d'une longue cape noire. Elle tenait à la main un sceptre sur lequel était assis un corbeau noir.

«C'est Maléfice!», balbutia Jouvence. Tout le monde fut immobilisé de crainte, en attendant que Maléfice se mette à parler.

«J'ai été vraiment fâchée de ne pas recevoir une invitation à votre fête», commença Maléfice, en regardant le roi. «Mais pour montrer que je ne vous en veux pas, je conférerai, moi aussi, un don à l'enfant.»

Elle frappa son sceptre par terre pour imposer le silence dans la salle avant de reprendre son discours.

«Écoutez-moi bien, tous. La princesse aura en effet la grâce et la beauté, mais le jour de son seizième anniversaire de naissance, avant le coucher du soleil, elle se piquera le doigt au fuseau d'un rouet... et elle en mourra.»

Un cri d'horreur sortit de toutes les bouches.

«Ce n'est pas possible!», s'écria la reine. Elle courut auprès du berceau et tint le bébé serré contre elle. Maléfice rit d'un rire cruel et sans coeur.

Le roi Étienne ne put plus se retenir. «Saisissez ce monstre!», cria-t-il.

20

Mais avant que les gardes
aient pu se saisir d'elle,
Maléfice leva les bras et
disparut dans une explosion
de feu et de fumée. Le corbeau
fit plusieurs fois le tour de la
pièce, puis s'envola, en laissant
derrière lui une impression de
tristesse.

La reine tenait la princesse
serrée étroitement dans ses bras.
Le Roi Étienne essaya de la
consoler.

C'est Bénévole qui rompit le silence. «Ne désespérez pas, Majestés. Sapience n'a pas encore conféré son don.»

Sapience ne possédait pas des pouvoirs assez grands pour annuler purement et simplement la malédiction de Maléfice, mais elle pouvait l'adoucir.

«Douce princesse, il y aura peut-être un rayon d'espoir dans le don que je te confère. Pas dans la mort, mais dans le sommeil. La fatidique prophétie se réalisera, en effet, mais tu te réveilleras de ton sommeil le jour où le premier baiser d'amour viendra rompre le sortilège.»

Le roi Étienne craignait pour la
vie de sa fille. Pour enrayer la
malédiction, il ordonna
immédiatement que l'on brûle
tous les rouets. Ce même soir,
on ramassa des milliers de rouets
et on les amena au palais. On
alluma un grand feu. Le roi
Étienne et sa reine étaient
désormais sûrs que leur fille
serait saine et sauve.

À l'aube, il ne restait plus,
dans le royaume, un seul rouet
pouvant menacer la vie de la
Princesse Aurore.

Mais Bénévole, Jouvence et Sapience savaient que cela n'arrêterait pas Maléfice. Elles durent concevoir un plan. Bénévole fut la première à trouver une idée. «Bien sûr, le roi et la reine auront des objections», dit-elle. «Mais quand nous leur expliquerons que c'est la seule solution...»

«Nous nous déguiserons en paysannes et nous élèverons Aurore comme une enfant trouvée au plus profond de la forêt. Maléfice ne songera jamais à la chercher là-bas!»

Puis, d'un coup de sa baguette magique, Bénévole transforma les autres fées en paysannes pour démontrer son plan.

Convaincre le roi et la reine
ne fut pas tâche aisée. Passer
seize ans sans voir leur enfant
leur semblait bien long, mais ils
finirent tout de même par décider
de confier la princesse aux fées.

Un soir, quelques jours plus
tard, les trois bonnes fées
emmenèrent la petite princesse
sous le couvert de la nuit. Elles
se promettaient de revenir avec
la princesse juste avant son
seizième anniversaire de
naissance, lorsque la malédiction
prendrait fin.

Le coeur lourd, le roi et la reine
firent leurs adieux.

C'est ainsi que pendant seize longues années, personne ne sut où se trouvait la princesse. Au plus profond de la forêt, dans la maison d'un bûcheron, les bonnes fées exécutèrent leur plan bien conçu. C'est là qu'elles élevèrent la princesse comme leur propre fille, qu'elles appelèrent Églantine. Elles ne lui révélèrent jamais rien concernant le roi, la reine, l'héritage royal ni la fée Maléfice.

De plus, les trois bonnes fées vécurent comme des mortelles. Elles cachèrent leur identité véritable à Églantine et ne firent jamais usage de leurs pouvoirs magiques. Pour qu'Églantine ne se doute de rien, elles faisaient les travaux de ménage et autres tout comme des gens du peuple.

Les seize ans passèrent rapidement, et Églantine réalisa tous les voeux que les fées lui avaient formulé à son égard. Elle était non seulement jolie, mais gentille. Et partout où elle allait, elle avait un chant dans le coeur.

Les bonnes fées savaient qu'elles devraient bientôt ramener
Églantine au château, où elle reprendrait son identité propre
et épouserait le Prince Philippe.

«Oh, il semble que ce n'était qu'hier que nous l'avons amenée
ici», dit Sapience en soupirant.

Elles étaient tristes de voir arriver la fin de tout cet épisode.
Églantine avait apporté dans leur vie beaucoup de joie et de rires
— ce que Maléfice ne comprendrait jamais.

Du sommet de la Montagne
Interdite, Maléfice continuait à
chercher la princesse Aurore.
Depuis seize ans, elle envoyait
ses sbires dans tout le royaume
pour essayer de trouver la petite
fille, mais sans succès.

«Nous avons cherché partout,
sur les montagnes, dans les forêts,
dans les maisons», dit le chef
des sbires, «et même dans
tous les berceaux.»

C'est alors que Maléfice
comprit que, depuis seize ans,
ils cherchaient un bébé.
 «Espèces d'idiots! Imbéciles!»,
cria-t-elle. Puis, elle décocha
des flèches à ses sbires, juste pour
leur montrer son mécontentement.

Le corbeau descendit et se percha
sur l'accoudoir de son trône.

«Oh, mon chéri», commença-t-
elle, «tu es mon dernier espoir.
Survole le pays, de près et de loin.
Cherche une jeune fille de seize ans
qui a les cheveux dorés comme un
rayon de soleil et les lèvres rouges
comme une rose. Vas-y, et ne me
déçois pas.»

Le corbeau s'envola par la
fenêtre ouverte et monta vers le
ciel. Maléfice savait que le
corbeau trouverait sa princesse.

Dans la maison de la forêt, les trois bonnes fées s'apprêtaient à fêter le seizième anniversaire de naissance d'Églantine. Voulant que ce soit une surprise, elles envoyèrent Églantine dans la forêt cueillir des baies sauvages.

Jouvence allait confectionner le gâteau d'anniversaire et Bénévole devait coudre la robe d'anniversaire. Sapience leur servirait de mannequin. Sapience insista pour qu'elles se servent de leur baguette magique pour que tout soit réussi.

«Pas de magie», leur rappela Bénévole. Il fallait qu'elles gardent le secret de leur identité.

Tandis que les trois fées étaient occupées dans la maison,
Églantine se promenait à travers la forêt en cueillant des baies
sauvages. Ses amis — le hibou, les autres oiseaux, les écureuils
et les lapins — se joignirent à elle. Quand son panier fut plein,
Églantine s'arrêta pour leur chanter une chanson. La chanson
parlait de l'homme de ses rêves.

Sa voix douce s'entendait dans toute la forêt. Un jeune prince, qui passait dans les parages avec son cheval, entendit la ravissante voix.

«Qu'est-ce que c'est, Samson?», demanda le prince à son cheval. «Allons voir.»

Cette voix n'intéressait pas du tout Samson. Mais le prince lui promit une deuxième ration d'avoine et quelques carottes.

Cela suffit pour que Samson parte immédiatement au galop pour permettre au prince de découvrir d'où venait la voix enchanteresse.

Églantine dansait, perdue dans ses rêves, en chantant sa chanson d'amour. Elle n'entendit pas le prince approcher derrière elle. Lorsqu'il l'accompagna dans son chant, elle fut plutôt surprise!

«Mes excuses», dit-il. «Je ne vous ai pas fait peur? Mais vous ne vous rappelez pas? Nous nous sommes déjà rencontrés — dans nos rêves.»

Le prince et Églantine dansèrent
et chantèrent ensemble. Puis,
ils marchèrent à travers la forêt,
la main dans la main, avec les
animaux à leur suite.

Tout indiquait qu'ils étaient
en train de tomber amoureux.

Mais lorsque le prince lui
demanda son nom, Églantine se
rendit compte qu'elle ne savait
rien de lui non plus. Or, on lui
avait dit de ne jamais parler aux
étrangers.

Églantine se retourna et s'enfuit.

«Mais quand vous reverrai-je?»,
lui cria le prince.

Églantine s'arrêta pour répondre :
«Ce soir. Près de la maison dans
la clairière.»

Puis, elle se sauva dans la forêt.

À la maison, c'était la panique chez les trois fées.
Jouvence regarda la robe que Bénévole venait de faire.

«Eh bien, elle n'est pas tout à fait comme dans le livre»,
dit-elle poliment.

Le gâteau n'était guère mieux réussi. Il penchait d'un côté,
si bien que Jouvence dût le soutenir avec un balai. Alors,
le glaçage et les bougies glissèrent lentement du dessus
du gâteau, le long du manche à balai.

«Assez de bêtises», décida Sapience, enchevêtrée dans la robe. «Je vais chercher nos baguettes magiques!» Elle se précipita pour chercher les baguettes cachées au grenier.

Les fées fermèrent rapidement les fenêtres et les portes.
Elles tirèrent les rideaux pour que personne ne les voie. Un coup
de leur baguette magique, et tout fut parfaitement réussi.

La robe de Bénévole était ravissante. Elle dirigea le ruban et
les ciseaux pour y mettre la dernière touche.

Jouvence donna un coup de baguette magique aux ingrédients
du gâteau. «Oeufs, farine, lait. Faites exactement comme indiqué»,
dit-elle aux ingrédients en montrant du doigt le livre de recettes.
En un rien de temps, Jouvence avait préparé un superbe gâteau.

Il y avait cependant un léger
problème — la couleur de la robe.
Sapience aimait le bleu. Un coup
de sa baguette magique, et la robe
devint bleue.

Mais Bénévole aimait le rose. D'un coup de baguette magique, elle redonna à la robe sa couleur rose.

«Bleu, je te dis!», insista Sapience. Elle redonna à la robe sa couleur bleue.

C'est ainsi que la robe changea mille fois de couleur. Bleue, rose, bleue, puis de nouveau rose. Les étincelles volèrent dans la pièce et montèrent par la cheminée. En effet, les fées avaient oublié de fermer la cheminée.

C'est juste à ce moment-là que le corbeau passa au-dessus de la maison et vit les étincelles de couleur qui sortaient de la cheminée.

Il descendit pour y regarder de plus près.

Des étincelles roses et bleues s'échappaient de la cheminée!

Le corbeau comprit qu'il avait enfin trouvé la princesse.

Il retourna pour le dire à la fée Maléfice.

À ce moment-là, Églantine revint de sa promenade en forêt.
«Surprise! Surprise!», s'écrièrent les bonnes fées.
Églantine entra dans la pièce en valsant, presque sans remarquer
le gâteau et la robe. «C'est tellement merveilleux! Attendez de
faire sa connaissance. Il va venir ici ce soir!»

Églantine leur parla du jeune homme qu'elle avait rencontré
dans la forêt.

«Elle est amoureuse», dirent les fées tristement. Alors, elles
décidèrent d'avouer à Églantine la vérité, qu'elle était vraiment la
Princesse Aurore et qu'elle était déjà fiancée au Prince Philippe.

«Ce soir, nous te ramenons chez ton père, le roi Étienne»,
lui dit Bénévole.

Églantine pleura à chaudes larmes, car elle savait qu'elle ne
reverrait jamais son jeune homme.

Ce soir-là, les fées préparèrent la princesse en vue de son
retour au château.

Au crépuscule, elles partirent pour leur long trajet à travers la
forêt. La princesse Aurore se cacha sous un long manteau. Tout
en marchant, elle pensait au jeune homme qu'elle avait rencontré
dans la journée. Les fées pensaient toutes au jour, seize ans
auparavant, où elles étaient parties en secret, la princesse
nouveau-née dans les bras, à travers les bois.

Au château, le roi Hubert et le roi Étienne célébraient le prochain mariage de leurs enfants. Ils ne furent guère contents quand Philippe leur annonça qu'il était amoureux d'une jeune fille qu'il avait rencontrée dans la forêt.

Lorsqu'elles arrivèrent au château, les fées amenèrent secrètement la princesse dans une pièce où elles la laissèrent seule pendant quelques minutes. Dès qu'elles furent parties, un rayon de lumière apparut dans la pièce. Comme hypnotisée, Aurore suivit la lumière à travers une porte secrète qui s'ouvrit dans le foyer et monta par un escalier à vis qui menait à une pièce dissimulée dans la tour. Là, elle vit la cruelle fée Maléfice... à côté d'un rouet!

«Touche le fuseau! Touche-le, te dis-je!», ordonna Maléfice.

Quand les trois fées revinrent, Aurore était partie. En pressant le pas, elles suivirent le chemin qu'elle avait emprunté pour se rendre dans la tour. Mais il était trop tard. Lorsqu'elles arrivèrent dans la tour, Maléfice les attendait.

«Eh bien, la voilà, votre jolie princesse!», dit-elle avec un éclat de rire méchant.

Maléfice recula et l'on put voir la princesse couchée sur le plancher. Puis, la méchante fée disparut dans les flammes et la fumée.

Les larmes coulèrent sur les joues des trois fées.

«Pauvre roi Étienne et pauvre reine!», sanglota Jouvence. «Ils mourront de chagrin en apprenant la nouvelle.»

«Ils ne l'apprendront pas», répondit Bénévole. «Nous allons les endormir jusqu'à ce qu'Églantine se réveille.»

Les fées se firent très petites et, en volant par-ci par-là et en agitant leurs baguettes magiques, elles endormirent tous les habitants du château — les gardes, les sujets du roi, et même le roi et la reine.

Juste au moment où le Roi Hubert s'endormait, Bénévole entendit parler le Roi Étienne de la paysanne habitant dans la forêt que le Prince Philippe était décidé à épouser.

Bénévole réfléchit, puis elle comprit que le jeune homme qu'Aurore avait rencontré dans la forêt était vraiment le Prince Philippe. Puis, elle se rappela qu'Églantine lui avait dit que le jeune homme viendrait à la maison ce soir-là.

«Venez», s'écria-t-elle aux autres. «Il faut que nous retournions à la maison!»

Les trois bonnes fées volèrent aussi rapidement qu'elles purent jusqu'à la maison où le Prince Philippe arriverait, dans l'espoir de trouver Églantine. Il n'y avait pas de temps à perdre.

Mais le Prince Philippe était déjà arrivé à la maison dans la clairière. Il ajusta son chapeau, puis frappa à la porte. De l'intérieur, une voix lui demanda d'entrer. Le coeur plein d'amour, le prince ouvrit la porte et entra.

Avant de comprendre ce qui se passait, les sbires de Maléfice
lui avaient sauté dessus. Le prince fut désarmé.

Les sbires l'attachèrent avec une grosse corde et lui mirent
un bâillon.

Maléfice sortit de l'obscurité et s'approcha du prince.

«Quelle agréable surprise!», dit-elle. «J'ai posé mon piège pour attraper un paysan, et voilà que j'attrape un prince. Emmenez-le!», ordonna-t-elle à ses sbires. «Mais doucement, mes agneaux. J'ai des projets pour notre royal invité.»

Le Prince Philippe fut emmené au donjon de Maléfice.

Une fois de plus, les fées arrivèrent trop tard. Elles trouvèrent le chapeau du prince par terre. Elles surent aussitôt que Maléfice était passée par là.

«Elle a emmené le Prince Philippe à la Montagne Interdite!», chuchota Bénévole.

Les fées savaient qu'il serait très dangereux d'y aller, mais elles n'avaient pas le choix. Il fallait sauver le prince.

Au château de Maléfice, juché au sommet de la Montagne Interdite, Philippe était enchaîné au mur du donjon.

Maléfice lui sourit. «Voyons, Prince Philippe. Pourquoi êtes-vous si mélancolique?», lui demanda-t-elle. Puis, elle lui parla de la princesse Aurore, endormie dans la tour du château du roi Étienne. «Mais regardez comme le hasard fait bien les choses», continua-t-elle. «C'est la même jeune paysanne qui hier a conquis votre coeur, noble prince.»

Maléfice avait pour le prince des projets qui l'empêcheraient à coup sûr de sauver la princesse endormie.

Elle monta les escaliers jusqu'à la porte, le corbeau sur le bras. «Laissons le Prince Philippe méditer ces joyeuses pensées», dit-elle en ricanant.

Au même moment, les trois fées pénétrèrent dans le donjon par une fente du mur. «Chut! Pas le temps d'expliquer», dirent-elles au prince.

Bénévole prit sa baguette magique et en frappa les menottes de ses poignets, tandis que Jouvence s'occupa de celles qui enserraient ses chevilles.

«La voie de l'amour véritable te réservera peut-être encore d'autres dangers, que tu devras affronter tout seul», dit Bénévole. Puis, d'un coup de sa baguette magique, elle fit apparaître une épée et un bouclier dans les mains de Philippe. «Arme-toi donc avec ce Bouclier magique de la Vertu et avec cette puissante Épée de la Vérité. Ces armes triompheront du mal.»

Armé de son épée et de son bouclier, le prince sortit pour
chercher sa princesse. En essayant de s'échapper du domaine de
Maléfice, il dut vaincre de nombreux dangers créés par la méchante
fée. Il dut éviter des flèches, des éclairs et des éboulements de
rochers. Mais malgré tous ces obstacles inventés par la colère de
Maléfice, le prince était décidé à sauver la Princesse Aurore.

À l'approche du palais du roi Étienne, Maléfice créa une
muraille d'épines pour l'arrêter. Mais avec l'Épée de la Vérité,
le prince coupa les branches remplies d'épines pour se frayer
un passage.

Le prince et Samson
s'approchaient au galop du
pont du château.

«Non!», cria Maléfice de rage.
Puis, avec une aveuglante
explosion de feu, elle créa un
dernier obstacle.

Devant lui se dressait la bête
noire la plus hideuse qu'il avait
jamais vue. C'était Maléfice.
Elle s'était transformée en un
dragon terrible crachant le feu!

«Maintenant, tu auras affaire
à moi!», cria la bête.

Philippe leva son bouclier et attaqua le dragon. Le dragon ouvrit son énorme gueule et cracha de grandes flammes en direction du prince. Il tomba sur le dos, mais se releva et réussit à éviter les flammes. Le dragon le menaçait avec ses énormes mâchoires.

Le prince se retourna et voulut battre en retraite, mais il se trouva acculé au bord d'une falaise. Les fées le regardaient anxieusement, craignant pour sa vie.

Le prince souleva son bouclier,
mais l'haleine chaude du dragon
le précipita dans l'abîme. Encore
un dernier jet de flammes du
dragon, et c'était fini avec
le prince.

Le prince lança son Épée de
la Vérité de toutes ses forces.
Elle atteignit le dragon en plein
coeur. La bête se dressa sur ses
pattes de derrière, puis plongea
dans l'obscurité par-dessus le
bord de la falaise.

Maintenant, la voie du château du roi Étienne était libre.
Philippe remonta sur Samson, franchit les portes du château
en passant à côté des gardes, des invités et des serviteurs endormis.

Il suivit les trois fées, monta un escalier à vis jusqu'à la
chambre de la tour où Aurore était endormie. Il approcha du lit
et embrassa délicatement la princesse.

Aurore ouvrit les yeux et sourit. Au même moment, tout le
monde au château se réveilla.

«Vous disiez, Hubert...», dit le roi Étienne en bâillant.

«Ah, oui», continua le roi Hubert. «Mon fils Philippe dit qu'il veut épouser...»

Mais avant que le roi Hubert ait pu finir d'expliquer que son fils allait épouser une jeune paysanne, les trompettes sonnèrent. Tous les yeux se tournèrent vers l'escalier d'honneur, où la Princesse Aurore et le Prince Philippe firent leur entrée, bras dessus bras dessous.

«C'est Aurore! Elle est là!»,
s'écria le roi Étienne.

Ce fut une joyeuse réunion
lorsque le roi et la reine
accueillirent leur fille après
seize longues années. Les bras
ouverts, Aurore courut vers ses
parents. Il n'y avait plus rien à
craindre. Maléfice était morte.

Le roi Hubert essaya de demander à Philippe qui était la jeune paysanne qu'il voulait épouser.

«Qu'est-ce que j'apprends, mon garçon?», demanda-t-il. Mais pour toute réponse, Aurore s'approcha du roi et lui donna un gros baiser. Il rougit de joie.

On annonça ensuite que le prince et la princesse voulaient se marier. Les deux rois furent fous de joie. Leurs royaumes seraient enfin unis en un seul.

Puis, Philippe et Aurore dansèrent ensemble, sous le regard du roi, de la reine et de tous leurs sujets. C'était vraiment une joyeuse fête.

Les trois bonnes fées regardaient les festivités depuis leur balcon.

«J'aime bien les histoires qui finissent bien», dit Jouvence en soupirant. Et tout le monde dut admettre que l'histoire s'était bien terminée.

Cette édition est publiée par Les Éditions Phidal, 5518 Ferrier, Mont-Royal (Quebec), CANADA H4P 1M2
Adaption de l'image: Van Gool- Lefèvre - Loiseaux
Produit par Penguin Books U.S.A. Inc., 375 Hudson Street, New York, New York 10014

ISBN 2-89393-198-7

10 9 8 7 6 5 4 3 2 1